D1397768

Québec

Gouvernement du Québec – Programme de crédit d'impôt
pour l'édition de livres – Gestion Sodec

© **Les éditions Les Malins inc.**

info@lesmalins.ca

Éditeur : Marc-André Audet
Conception graphique et montage : Energik Communications

Dépôt légal – Bibliothèque et Archives nationales du Québec, 2011
Dépôt légal – Bibliothèque et Archives Canada, 2011

ISBN : 978-2-89657-088-1

Imprimé en Chine

Tous droits réservés. Toute reproduction d'un extrait quelconque
de ce livre par quelque procédé que ce soit est strictement interdite
sans l'autorisation écrite de l'éditeur.

Les éditions Les Malins inc.
1447, rue Wolfe
Montréal (Québec)
H2L 3J5

Guide de gardiennage

Catherine Girard-Audet
l'auteure de **L'ABC** des filles

éditions
les malins

Table des matières

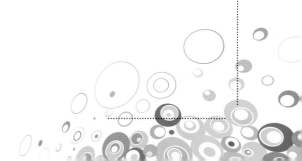

Introduction

Quand on entre dans l'adolescence, on a parfois envie de gagner ses propres sous et d'acquérir plus d'indépendance et d'autonomie. C'est entre autres pour cette raison que plusieurs jeunes envisagent de faire du gardiennage. Si tu penses devenir un gardien ou une gardienne, tu dois toutefois être prêt à assumer toutes les responsabilités qui accompagnent l'emploi et être bien conscient de la tâche qui t'attend.

Le gardiennage est une façon de ramasser des sous, mais aussi de développer ta débrouillardise et ta maturité tout en acquérant une expérience de travail qui te sera utile toute la vie. En effet, ce n'est pas une tâche à prendre à la légère puisque c'est toi qui dois prendre soin des enfants et qui est responsable de leur bien-être pendant l'absence des parents. Tu deviens alors l'autorité et la personne ressource aux yeux des en-

fants, et il en revient à toi de faire respecter les règles familiales et de faire en sorte que les enfants se sentent à l'aise et en sécurité lorsqu'ils sont sous ta charge.

Tout d'abord, sache qu'un bon gardien doit faire preuve de leadership, d'autorité et de jugement. Tu dois toujours songer à la sécurité et au bien-être des

enfants que tu gardes, et tu dois te montrer responsable et digne de confiance aux yeux de leurs parents qui ont besoin de quitter leur domicile en ayant l'esprit tranquille et en sachant que leurs enfants sont entre bonnes mains. Quand tu interagis avec les enfants, tu dois les mettre en confiance en étant sûr de toi et en assumant ton rôle de leader. Ça ne veut pas dire que tu dois te contenter de faire la loi et d'imposer les règles; tu dois plutôt trouver un équilibre en apprenant à les écouter, à t'amuser avec eux et à leur témoigner de l'intérêt en n'oubliant pas que c'est toi qui décide et que c'est toi qui est responsable d'eux. Évidemment, tu dois aussi faire en sorte de respecter les parents qui t'embauchent et les enfants que tu gardes en attendant le même respect de leur part.

Tout cela peut te sembler un peu affolant au début, puisque tu sens une lourde responsabilité sur tes épaules, mais ne t'en fais pas, avec un peu d'expérience, tu deviendras de plus en plus à l'aise et tu assumeras davantage tes choix. Tu sauras comment prendre des décisions réfléchies et tu te familiariseras avec les règles de base du gardiennage. Ce guide est spécialement conçu pour t'aider dans ton apprentissage et pour faire de toi un gardien hors pair qui saura s'amuser et rire avec les enfants tout en assumant pleinement ses responsabilités, ses devoirs et son rôle de gardien. Ce que tu dois te rappeler, c'est que tu représentes un modèle aux yeux des enfants, et que tu dois toujours respecter les règles de la maison dans laquelle tu te trouves. Tu assures la sécurité, le bien-être et le bonheur des enfants, alors tu dois te montrer mature et digne de confiance aux

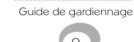

yeux des parents. Les chapitres qui suivent t'aideront à y voir plus clair et à comprendre toutes les règles de base du gardiennage en plus de te familiariser avec les activités à faire selon le groupe d'âge des enfants qui sont à ta charge et d'en apprendre davantage sur les règles de l'alimentation, des premiers soins, de la gestion du dodo et de la psychologie de l'enfant. Enfin, tu pourras mesurer tes connaissances en te pratiquant avec des questions pièges et déterminer si tu es fin prêt à devenir un gardien responsable et averti !

Chapitre 1 :
Règles de base

Chapitre 1 :
Règles de base

Trouver un emploi

Si tu cherches à gagner plus de sous et que tu désires acquérir plus d'expérience de gardiennage, assure-toi de passer le mot dans ton entourage; il ne faut jamais sous-estimer la portée du bouche-à-oreille. Tu peux aussi visiter tes voisins pour leur proposer tes services, ou alors mettre une annonce dans le journal, sur internet ou sur les babillards de ton quartier et des centres communautaires. Informe-toi d'abord sur le salaire moyen offert pour le gardiennage et sois réaliste lorsque tu offres ton temps; n'oublie pas que tu as aussi des devoirs, des responsabilités et des tâches à accomplir, alors évite de trop t'en mettre sur les épaules.

Avant de garder

Si tu t'apprêtes à garder pour la première fois, mieux vaut y aller une étape à la fois pour te familiariser avec ton travail et pour te sentir plus en confiance. Par exemple, il est préférable de rencontrer les parents et les enfants avant d'entamer ton travail de gardiennage. Ainsi, tu peux leur poser toutes les questions qui te traversent l'esprit et connaître un peu plus ton environnement de travail. Si tu n'as pas d'expérience, commence par garder un enfant à la fois pendant quelques heures pour te sentir plus à l'aise. Il se peut que tu aies grandi en étant entouré de frères, de sœurs et de jeunes enfants et que tu n'aies aucun problème à t'acclimater, mais chaque enfant est différent et une rencontre préparatoire te permettra de te familiariser avec les enfants qui seront sous ta responsabilité.

Tu peux également suivre le cours de Gardiens avertis de la Croix-Rouge qui t'apprendra les principales règles de base pour devenir un gardien hors pair ainsi que les lignes directrices de secourisme à appliquer en cas d'urgence. Nombreux sont les parents qui préfèrent engager des jeunes ayant complété le cours de la Croix-Rouge[1].

Prends le temps de préparer un petit curriculum vitae que tu pourras remettre aux parents pour qu'ils connaissent un peu ton parcours et tes expériences de travail. Discutez également

1 Cours de secourisme et de RCR offerts par la Croix-Rouge canadienne : 1-877-356-3226 ou www.croixrouge.ca, http://gardiensavertis.ca

au préalable du salaire que tu recevras pour garder les enfants. Ainsi, tu éviteras les mauvaises surprises ! Informe-toi aussi sur les règles de la maison. À quelle heure les enfants doivent se coucher ? Que doivent-ils manger ?

Ont-ils des allergies alimentaires ou autres troubles de santé ? Ont-ils le droit de regarder la télé ou de lire avant de dormir ? Doivent-ils prendre leur bain avant de se mettre au lit ? Ont-ils le droit de prendre une collation ? Y a-t-il des jeux et des activités à éviter ? Ont-ils fait leurs devoirs ? S'ils sont en âge, ont-ils le droit de parler au téléphone ? Souviens-toi qu'en l'absence des parents, c'est toi qui montes la garde et qui représentes l'autorité, et que tu dois avant tout respecter les mêmes règlements implantés par les parents.

Prends le temps de t'informer sur le salaire qu'ils offrent, sur l'heure à laquelle ils t'attendent et sur l'heure à laquelle ils pensent revenir à la maison. Ainsi, tu pourras prévoir une façon sécuritaire de rentrer à la maison (est-ce les parents qui t'engagent qui vont te conduire, tes propres parents qui viennent te chercher ou dois-tu prendre un taxi). Demande-leur si tu as la permission d'inviter un ou une amie et si tu peux utiliser la télévision, le téléphone ou l'ordinateur. Ont-ils prévu un repas pour toi ? Es-tu autorisé à manger et boire tout le contenu de leur frigo ? Ne sous-estime pas ces questions; n'oublie pas que tu n'es pas chez toi et qu'il est important que tu respectes les règles de leur domicile tout en te montrant responsable, fiable, honnête et poli. Ne néglige pas ton apparence;

n'oublie pas que tu vas garder des enfants et que tu dois te vêtir de façon appropriée. Assure-toi aussi d'être ponctuel et naturel lorsque tu les rencontres, et demande-leur si c'est possible de connaître le ou les enfants que tu garderas pour qu'ils se familiarisent avec toi avant le jour J. Prends aussi le temps de vérifier que tu as tout le matériel dont tu auras besoin pendant leur absence : vête-ments propres, couches, trousse de premiers soins, objets fétiches, biberon, lait, nourriture, suce, film, couverture, etc.

Règles de sécurité

Assure-toi aussi de savoir où se trouve la trousse de premiers soins en cas d'urgence et de t'informer sur les allergies ou les troubles de santé des enfants. Quels sont les numéros d'urgence ? Qui dois-tu appeler en cas de problème ? Est-ce que les parents ont un cellulaire ? Demande-leur aussi l'emplacement des extincteurs d'incendie et des bougies en cas de panne d'électricité. Il se peut également que les parents aient des règles plus strictes que tu doives respecter, alors assure-toi de les prendre en note et de les suivre à la lettre. Tu es un modèle d'autorité pour les enfants, et c'est important que tu respectes les mêmes règles que les parents.

Par exemple, il se peut qu'il y ait des endroits dans la maison qui leur soient interdits, ou alors qu'ils n'aient pas le droit de manger des biscuits avant de dormir. Demande aux parents quelles sont les habitudes à l'extérieur de la maison. Y a-t-il un parc qu'ils ont l'habitude de fréquenter ? Jusqu'à quelle heure peuvent-ils jouer dehors ? Peux-tu avoir un double de la clé pour être certain de ne pas rester coincé à l'extérieur ? Si tu as des doutes avant de garder, n'hésite pas à téléphoner aux parents qui t'engagent pour obtenir plus d'informations. Ils seront heureux de t'éclairer et de constater que tu prends ton travail au sérieux.

Pendant que tu gardes

Tu sais déjà que pour être un gardien hors pair, tu dois faire preuve de professionnalisme, d'honnêteté et de maturité. Respecte les directives qui t'ont été données par les parents qui t'engagent et assure-toi de respecter leur intimité. N'invite pas un copain ou alors ton ou ta petit(e) ami(e) sans avoir obtenu la permission au préalable, et ne t'absente pas de la maison en aucun moment; tu dois toujours garder un œil sur les enfants et tu ne peux pas te permettre de les laisser sans surveillance. Ne néglige pas les enfants pour parler au téléphone ou vaquer à tes propres occupations. Assure-toi aussi de respecter l'intimité et la vie privée des parents qui t'embauchent : ne fouille pas dans leurs effets personnels et n'utilise pas d'appareils qui leur appartiennent sans t'être assuré que tu pouvais le faire. Sache aussi que les parents apprécient les gardiens qui ramassent les jouets et la vaisselle avant de partir. Même si tu crois que ça ne fait pas partie de tes tâches, ça peut faire toute une différence au point de vue de la confiance qu'ils

t'accordent, de ton salaire et des recommandations qu'ils pourront t'accorder dans le futur. N'impose pas ta loi aux enfants et assure-toi de leur accorder l'attention et le respect nécessaires. Enfin, si tu es malade ou que tu as un empêchement, assure-toi de prévenir les parents plusieurs jours ou heures à l'avance pour qu'ils aient le temps de trouver une solution. Lorsque tu gardes, sois ponctuel et efforce-toi même de te pointer une quinzaine de minutes avant le départ des parents pour que la transition s'effectue plus facilement. Laisse tes coordonnées à tes parents ou un adulte responsable pour être joignable en tout temps. Lorsque les parents quittent le domicile, tu peux demander aux enfants ce qu'ils ont envie de faire (si l'âge le permet). Apprends à écouter les jeunes que tu gardes et n'oublie pas que tu leur montres l'exemple, alors interdiction de consommer de

l'alcool, des drogues ou du tabac lorsque tu prends soin des enfants. Tu as besoin de toute ta tête pour assumer une tâche aussi importante.

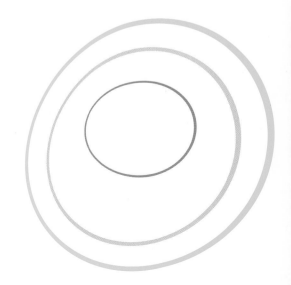

Chapitre 1 :
Notes personnelles

Chapitre 1 :
Notes personnelles

Chapitre 2 :
Activités

Chapitre 2 : Activités

Avant d'aller garder des enfants pour la première fois, tu peux prendre le temps de t'informer sur leur groupe d'âge et sur les activités qui les stimulent le plus. Demande également aux parents quels types d'activités ils préconisent. Préfèrent-ils que leur enfant s'amuse au parc ou dans la maison ? Aime-t-il les jeux créatifs ou les activités physiques ? Sache que tu dois te fier aux enfants que tu gardes; les attentes et les activités varient selon les groupes d'âge et le sexe des jeunes, alors assure-toi de t'informer auprès d'eux, de jouer et de communiquer pour t'assurer que tout va bien. Chaque enfant développe aussi une personnalité qui lui est propre, alors les types de jeux et d'activités peuvent varier selon les goûts personnels de chacun. Limite le temps de télévision et préconise plutôt les activités interactives et créatives qui stimuleront l'imagination de l'enfant.

Les petits bébés

Les nouveaux nés passent évidemment beaucoup de temps à dormir, mais lorsqu'ils sont éveillés, ils aiment être stimulés par les sons, les mouvements et les couleurs vives ! Ne laisse pas un nouveau-né mordre de petits objets, car il risque de s'étouffer. Opte plutôt pour des objets rembourrés et mous arborant des couleurs vives, ou alors des jouets produisant des sons et de la musique. Les poupons raffoleront aussi des jouets ornés de miroirs, de clochettes et de grelots. Tu peux toujours lire des comptines ou lire des histoires en narrant de façon expressive pour stimuler le nouveau-né. Sache que les poupons raffolent des oursons en peluche et qu'ils ont parfois des objets fétiches qu'ils aiment garder avec eux pour se sentir en sécurité. Ils aiment généralement prendre des objets dans leurs mains et tenir fermement les doigts des gens qui les entourent. C'est super mignon, mais songe à te laver les mains avant de jouer avec eux pour ne pas leur transmettre de germes et de maladies.

Petite enfance

Les enfants âgés entre 1 et 3 ans sont très curieux et conscients de l'environnement qui les entoure. Ils sont généralement créatifs et adorent être stimulés par des jeux interactifs pouvant aiguillonner leur imagination. Ils seront par exemple heureux de prendre part à des pièces de théâtre ou des ateliers d'improvisation. N'hésite pas à leur raconter des histoires en étant expressif et en interagissant avec eux. Tu auras également beaucoup de succès avec les albums de coloriage et de dessins, les marionnettes, les casse-têtes, les activités de bricolage et les jouets de motricité comme les trains, les voitures, les camions, etc. Les tout-petits aiment aussi les jeux comme les parcs, les minis cuisines et les fermes puisqu'ils peuvent donner libre cours à leur imagination et participer à des jeux de rôles où ils imitent ce

que font les grands. Assure-toi d'être un modèle devant eux, car les tout-petits aiment répéter les gestes des autres. Ne les laisse pas sans surveillance et interdis-leur de jouer avec des petites pièces avec lesquelles ils risquent de s'étouffer. Tu peux leur lire des histoires en faisant une narration expressive et en changeant de voix pour chaque personnage. Les spectacles d'oursons en peluche auront également un succès, ainsi que les albums d'animaux, de planètes ou de professions. Les jeunes enfants ont tout à découvrir et sont extrêmement curieux, alors tu as l'embarras du choix !

Préscolaire

Les jeunes enfants âgés envi-ron entre 4 à 7 ans sont actifs et deviennent de plus en plus in-dépendants, alors tu peux leur demander ce qu'ils ont envie de faire. Il s'agit également d'un groupe d'âge où les garçons et les filles développent des intérêts différents, alors sois à l'écoute de ce qu'ils te disent. Par exemple, il se peut qu'une fille ait envie de jouer aux poupées ou avec des peluches et de monter de petites pièces de théâtre, tandis qu'un garçon voudra jouer au hockey sur table ou à la tague ! De façon générale, tu trouveras preneur en proposant des activités de brico-lage et de dessins et en leur of-frant de jouer à la cachette ou de faire des jeux de rôles. Limite le temps passé devant la télévision et les jeux vidéo et proposent plu-tôt de faire des activités qui peu-vent stimuler leur esprit créatif et

leur imagination ou les activités un peu plus physiques, question de dépenser de l'énergie avant de relaxer et de se mettre au lit.

Scolaire

Les jeunes âgés de 7 ans et plus développent une personnalité de plus en plus assumée. Il est essentiel de les écouter et de tenir compte de leurs goûts personnels. Tu dois t'efforcer de trouver un équilibre entre le rôle d'autorité et de copain. Tu représentes encore un modèle de comportement et tu es responsable de l'application des règles, mais aucun enfant de cet âge n'aime se faire traiter comme un bébé. Montre de l'intérêt lorsqu'ils te parlent et invite-les à proposer des activités. Les filles et les garçons exprimeront peut-être des intérêts différents, alors tu dois être prêt à t'adapter à leurs goûts et à leurs préférences personnelles. Les livres et la musique trouveront preneur, mais tu peux aussi proposer des activités un peu plus physiques. Quoi qu'il en soit, fais preuve d'ouverture d'esprit et de créativité. Si les jeunes doivent faire leurs devoirs, tu peux aussi leur proposer de les aider. Essaie de limiter le temps passé devant la télévision et les jeux vidéo, et opte pour des activités originales qui te rendront encore plus unique aux yeux des enfants que tu gardes !

Chapitre 2 :
Notes personnelles

Chapitre 2 :
Notes personnelles

Chapitre 3 :
l'Alimentation

Chapitre 3 :
l'Alimentation

Lorsque tu gardes des enfants et que tu dois gérer leur alimentation, tu dois toujours t'informer auprès des parents au préalable pour savoir s'ils ont des allergies, des intolérances et pour connaître les restrictions et les goûts de chacun. Il se peut qu'une famille ait des habitudes alimentaires différentes des tiennes en raison de leur culture, de leur religion ou de leurs valeurs, et tu dois apprendre à respecter ces différences et à appliquer les directives que te donnent les parents. S'ils ne mangent pas de viande, alors c'est leur choix, et si l'enfant est intolérant au lactose, tu dois t'en rappeler pour éviter qu'il ne soit malade. Ce ne sont pas des informations à prendre à la légère, alors assure-toi de tout prendre en note lorsqu'ils te l'indiquent. Les allergies alimentaires peuvent causer des réactions physiques extrêmement importantes et bloquer les voies respiratoires, alors ne donne jamais d'aliment risqué à un jeune sans avoir eu le feu vert des parents. Évite surtout les produits contenant du sucre, des arachides et des œufs si tu n'es pas certain qu'ils n'ont aucune allergie. Aussi, assure-toi de couper les aliments dans le sens de la longueur plutôt que de la largeur, car les rondelles et les petites bouchées peuvent augmenter les risques d'étouffement. Ne laisse jamais un enfant seul lorsqu'il mange; reste avec lui en tout temps pour t'assurer que tout se passe bien et pour intervenir en cas d'urgence.

Les petits bébés

Si tu dois prendre soin d'un petit bébé et que tu dois le nourrir, assure-toi d'avoir toutes les informations nécessaires avant le départ des parents, et contente-toi de lui donner la nourriture qu'on t'a autorisé à préparer. Tu dois toujours te laver les mains avant de prendre un bébé dans tes bras et de préparer sa nourriture pour éviter de lui transmettre des germes. Si les parents te demandent de lui donner un biberon, demande-leur toutes les informations dont tu auras besoin. S'agit-il de lait en poudre, de lait maternel ou de lait liquide ? À quelle fréquence dois-tu nourrir le poupon ? Combien dois-tu lui donner de lait ? Fait-il des rots ? Qu'utilisent-ils pour faire chauffer le lait ? Une fois que tu as les réponses à tes questions, tu peux commencer l'exercice. Premièrement, tu dois chauffer le biberon pour que le lait soit tiède.

L'usage du micro-ondes est décommandé, car il a tendance à chauffer les aliments de façon inégale. Il est préférable de verser de l'eau chaude sur le biberon ou de le déposer dans une casserole d'eau chaude et de le laisser chauffer quelques minutes avant de bien brasser le biberon pour que le lait adopte une température homogène. Vérifie la température du lait en versant quelques gouttes sur l'intérieur de ton poignet. N'oublie pas que le lait doit être **tiède**. Assieds-toi ensuite en tenant le bébé dans tes bras et en inclinant le biberon pour que la tétine se remplisse de lait. Approche la tétine de la bouche du bébé, il comprendra tôt ou tard qu'il s'agit de sa nourriture et tendra la bouche s'il a faim. S'il tète le biberon et qu'il arrête soudain en détournant la tête ou en chignant, il se peut que ce soit parce que le lait ne coule plus, parce qu'il doit faire son rot ou simplement parce qu'il n'a plus faim. Ne force pas un nouveau-né à terminer son biberon s'il n'en veut plus. Tu dois te fier sur ses besoins et éviter de le rendre malade. S'il veut faire son rot, tiens le bébé en position verticale en orientant sa tête vers ton épaule. Tu peux déposer une serviette sur toi pour éviter de te salir. Tapote doucement son dos jusqu'à ce que tu entendes un rot, puis vérifie s'il veut ensuite continuer à boire ou s'il est rassasié. Si les parents te demandent de lui donner de la nourriture molle comme de la purée ou de la compote, verse les aliments dans un petit pot en plas-t i q u e et chauffe le tout dans une casse-role d'eau chaude ou au micro-ondes en vérifiant que la chaleur est homogène et tiède (brasse bien la purée avant de la servir et vérifie la température sur ton poignet). Installe le bébé dans sa chaise haute en l'attachant de façon sécuritaire et en orientant la chaise vers toi, attache sa bavette pour limiter les dégâts et verse de petites cuillérées dans la bouche du bébé. Ne va pas trop vite, et ne le laisse jamais seul pour éviter qu'il vomisse ou s'étouffe. N'oublie pas que les petits bébés font beaucoup de dégâts et touchent à tout, alors écarte tout objet dangereux ou susceptible d'attirer son attention avant de le nourrir. Souviens-toi que s'il détourne la tête, c'est généralement parce qu'il n'a plus faim. Nettoie sa bouche et ses mains avec une débarbouillette humide et détache-le de sa chaise avant qu'il ne se mette à pleurer. S'il s'est sali, change-le et dépose les vêtements sales à l'endroit indiqué par les parents.

Petite enfance

Les jeunes enfants âgés entre 1 et 3 ans sont parfois capables de se nourrir seuls, mais il faut s'attendre à tout un dégât ! Tu dois toujours t'assurer que la nourriture est coupée en tout petits morceaux ou qu'elle est réduite en purée, car les petits enfants ont de la difficulté à mastiquer les gros aliments. Évite de couper les aliments tels que les carottes et les saucisses en rondelles; opte plutôt pour des bâtonnets que tu recouperas en petits morceaux pour éviter qu'ils ne s'étouffent. N'oublie pas de nettoyer la bouche et les mains de l'enfant ainsi que l'aire d'alimentation lorsque tu as terminé. Tu peux également demander aux jeunes enfants s'ils ont faim et ce qu'ils ont envie de manger. Ils sont généralement capable d'identifier leurs préférences et d'exprimer leurs besoins primaires ! Efforce-toi de calmer l'enfant avant le repas pour qu'il se concentre sur sa nourriture et pour éviter qu'il ne s'étouffe. S'il ne veut plus manger, assure-toi qu'il n'a plus faim avant de le détacher de sa chaise haute et de le nettoyer.

Préscolaire

Un enfant âgé de 4 à 7 ans développe ses propres goûts et son alimentation peut devenir très variée. Règle numéro un : toujours t'informer auprès des parents pour connaître les allergies, les intolérances et préférences des enfants, et suivre les directives à la lettre, même si l'enfant ne veut rien entendre. Encourage-le à terminer son assiette, mais ne le force pas à manger. Beaucoup de jeunes enfants se nourrissent avec une petite fourchette, une cuillère ou avec leurs doigts. Si le jeune utilise un siège d'enfant, attache-le fermement pour t'assurer qu'il ne tombe pas par terre. Si l'enfant a faim avant de dormir, évite les aliments sucrés qui vont le stimuler et nuire à son sommeil. De façon générale, suis les directives des parents, mais si tu ne sais pas trop quoi lui donner, les biscottes avec du fromage, les yogourts et les fruits sont toujours de bonnes options.

Scolaire

Les enfants de 7 à 10 ans sont à l'aube de la puberté et sont généralement très actifs, ce qui veut dire qu'ils doivent manger de façon très équilibrée. Suis les directives des parents et informe-toi sur les allergies et restrictions alimentaires de l'enfant, mais efforce-toi de lui donner des portions issues des quatre groupes alimentaires (viandes et substituts, fruits et légumes, produits laitiers et céréales). Tu peux couper des formes amusantes ou même préparer les repas avec l'enfant pour le stimuler davantage et pour passer un bon moment avec lui. Assure-toi aussi que l'enfant sache les restrictions imposées par les parents pour éviter les crises de larmes et le marchandage inutile.

Quand on prend soin d'un enfant, c'est normal de se sentir un peu nerveux. C'est une lourde responsabilité à assumer, et ce peu importe l'âge du bambin. Sache toutefois qu'avec le temps, tu gagneras de l'expérience et de l'assurance et que tu te familiariseras avec les habitudes et la personnalité de l'enfant dont tu as la responsabilité, alors pas de panique !

Chapitre 3 :
Notes personnelles

Chapitre 3 :
Notes personnelles

Chapitre 4 :
Petites attentions, sécurité et premiers soins

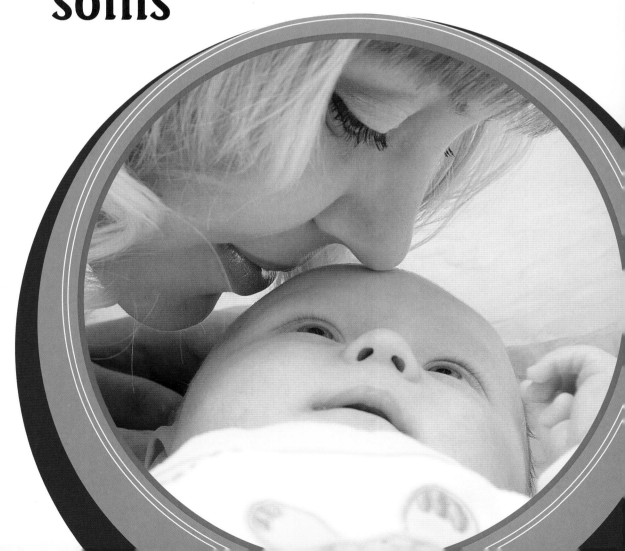

Chapitre 4 :
Petites attentions,
sécurité et premiers soins

Petites attentions

1. Bébés et tout-petits

Les bébés de moins d'un an communiquent leurs besoins primaires en pleurant. Lorsqu'un poupon pleure, c'est générale-ment parce qu'il a faim, parce que sa couche est sale, parce qu'il est fatigué ou simplement parce qu'il veut se faire prendre. Lorsque tu veux prendre un bébé dans tes bras, rassure-le en lui parlant dou-cement. Soulève-le tranquille-ment, puis pose une main sous ses fesses et une autre der-rière son cou pour lui tenir la tête. Un bébé de moins de 6 mois ne peut pas sou-tenir sa tête tout seul, alors assure-toi de lui servir d'appui. Tu peux le tenir contre toi en le berçant doucement afin de le réconforter et de l'apaiser. Tu peux

aussi joindre tes bras contre ta poitrine et installer confortable-ment le bébé dans le creux de tes bras en le balançant légèrement tout contre toi. N'hésite pas à lui parler d'une voix douce ou de lui chantonner une petite berceuse pour le calmer et pour le rassurer.

Si tu veux changer la couche d'un bébé, rassemble d'abord tout ce dont tu auras besoin; une couche propre,

une débarbouillette humide et de la poudre ou de la crème selon les directives des parents. Installe d'abord le bébé sur la table à langer. Ne le laisse jamais sans surveillance pour ne pas qu'il se traine jusqu'au bord et qu'il tombe par terre. Tiens-le fermement en tout temps et soulève les barreaux de la table s'il y en a pour plus de sécurité. Enlève la couche qui est sale et nettoie bien les parties génitales et les fesses du bébé en procédant de l'avant vers l'arrière pour éviter de transmettre des bactéries. Applique ensuite la poudre ou la crème si les parents t'ont indiqué de le faire, puis enfile-lui une couche propre en faisant glisser l'arrière sous le bébé en soulevant légèrement ses pieds. Installe bien ses fesses dans le creux de la couche, puis relève la partie avant jusqu'à son nombril. Si le bébé est un garçon, oriente le pénis vers le bas pour éviter qui ne s'arrose en faisant pipi. Joins ensuite l'arrière et le devant en fixant les velcros ou les attaches collantes à la hauteur de ses hanches. Assure-toi aussi de changer les vêtements d'un bébé s'ils sont sales après le goûter en utilisant les habits que les parents ont prévu à cet effet. S'ils ont oublié, cherche quelque chose de léger et de confortable, comme un petit chandail et des pantalons en coton. N'oublie pas de lui enfiler un pyjama avant de dormir !

Les jeunes enfants portent aussi généralement des couches, et tu dois être tout aussi prudent lorsque tu les changes. Il se peut qu'ils de débattent légèrement lorsque tu essaies de les habiller (plusieurs n'aiment pas qu'on les habille), alors efforce-toi de leur chantonner des comptines et de leur changer les idées pendant que tu le fais. Sache aussi qu'ils sont très curieux de découvrir le monde qui les entoure, mais qu'ils ne sont pas toujours conscient des dangers qui les guettent, alors tu dois garder un œil sur eux en tout temps quand tu les gardes, que ce soit au parc, à la piscine, dans le salon ou dans la cuisine.

2. Enfants d'âge préscolaire et scolaire

Les jeunes de 5 ans et plus sont généralement propres et capables de faire leurs besoins seuls sur la toilette, mais cela ne veut pas dire qu'ils sont en mesure de se nettoyer correctement. Il vaut donc mieux t'assurer qu'ils se sont bien essuyés après être allés à la toi- lette e n

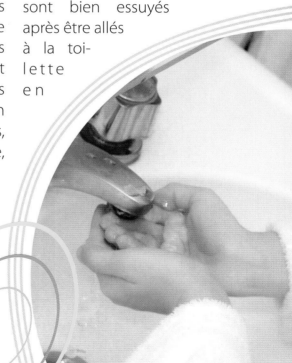

plus de les aider à se laver les mains pour éviter la transmission de germes et les infections. Il se peut aussi qu'un enfant néglige une envie de pipi ou qu'il ait honte de te dire qu'il doit faire caca, alors assure-toi qu'il n'a pas envie d'aller aux toilettes avant de manger, de faire une sortie ou une activité. Ça évitera les mauvaises surprises ! À cet âge, les enfants aiment également choisir les vêtements qu'ils auront à porter. Fie-toi aux recommandations des parents, mais si tu veux impliquer le jeune dans la prise de décision, fais-le choisir entre quelques morceaux, demande-lui sa couleur préférée, etc. Plus les enfants grandissent, plus ils admirent leurs aînés et plus ils refusent de se faire traiter en bébé. Si tu t'efforces à t'intéresser à un jeune de cet âge et à tenir compte de son avis et de ses goûts, il te percevra d'égal en égal et te considérera comme un ami, ce qui appuiera votre bonne

entente et te permettra de développer une belle relation avec lui.

Sécurité

Pour avoir la conscience tranquille lorsque tu gardes, assure-toi que tu as tout mis en œuvre pour que l'environnement soit des plus sécuritaires. Par exemple, dépose tous les objets tranchants et coupants hors de la portée des enfants, et cache les allumettes, briquets et autres instruments dangereux. Installe des cache-prises sur les prises électriques pour éviter les chocs et ne laisse jamais un enfant sans surveillance; tu dois être en mesure de veiller sur lui, de surveiller ses gestes et d'intervenir en cas d'urgence.

1. Bébés

Les bébés aiment observer et explorer ce qui les entoure. Ils adorent particulièrement prendre des objets dans leurs petites mains et les porter à leur bouche. Ils sont curieux et ne sont pas conscients des dangers qui les guettent, alors tu dois être très consciencieux lorsque tu gardes un poupon. Ils aiment se traîner par terre, se redresser sur les meubles, marcher à quatre pattes, essayer de faire leurs premiers pas, monter et descendre les escaliers et ouvrir toutes les armoires pour découvrir quels trésors s'y cachent. En d'autres mots, tu dois garder un œil sur eux en tout temps pour éviter les chutes, les blessures et les coups. Assure-toi aussi de mettre les objets coupants et dangereux hors de la portée des bébés et tiens-les fermement lorsque tu les laves, que tu les installes dans leur chaise haute pour manger ou que tu les déposes sur la table à langer pour changer leur couche. Un seul moment d'inattention peut s'avérer fatal. Lorsque tu te trouves dans la cuisine, assure-toi que le bébé se tienne loin du four, du micro-ondes et de la cuisinière et nourris-le exclusivement avec les aliments indiqués par les parents. Si tu sors faire une promenade, empêche les animaux d'approcher et assure-toi que le bébé ne subtilise pas d'objets qui ne lui appartiennent pas; il n'a pas conscience de ce qu'il fait, alors tu dois assumer ce rôle pour lui.

2. Petite enfance

Les tout-petits sont capables de marcher et peuvent se déplacer à la vitesse de l'éclair. Ils n'ont pas froid aux yeux et ne sont pas conscients des dangers qui les guettent, ce qui les pousse trop souvent à grimper, sauter et courir un peu partout. Ce sont des explorateurs et de véritables casse-cou qui aiment ouvrir les armoires, les tiroirs et souvent tester les limites des grands pour attirer l'attention. Ils n'ont peur de rien et sont toujours prêts à relever les nouveaux défis, s'approcher des animaux, jouer avec des objets dangereux et descendre et monter les escaliers sans se fatiguer. En d'autres mots, tu dois toujours garder un œil sur eux pour t'assurer qu'ils ne s'aventurent pas dans des lieux dangereux, qu'ils ne se retrouvent pas dans une situation précaire et qu'ils ne courent aucun risque. Ils sont également très

dans le grille-pain ou même dans leur nez et leur bouche pour le simple plaisir de la chose. Ils aiment imiter les grands, alors souviens-toi que tu représentes un modèle de comportement à leurs yeux. S'ils te désobéissent ou font un dégât, ne perds pas patience avec eux; ils n'ont souvent pas conscience des conséquences de leurs actes et ne comprennent pas tout à fait les limites de l'acceptable. Efforce-toi plutôt de leur expliquer calmement en quoi leur comportement est déplacé ou dangereux et propose une activité moins périlleuse.

3. Préscolaire

Les jeunes d'âge préscolaire ont déjà acquis beaucoup d'indépendance et d'autonomie et peuvent se débrouiller seuls dans plusieurs domaines; ils vont seuls aux toilettes et n'éprouve aucune difficulté à exprimer leurs goûts et leurs préférences. Assure-toi quand même que leur hygiène personnelle soit irréprochable en leur lavant les mains avant un repas et en sortant des toilettes et en les encourageant à se brosser les dents avant de dormir. Assure-toi aussi de demander toutes les informations nécessaires aux parents avant leur départ, à savoir l'heure du coucher, les endroits interdits dans la maison et à l'extérieur et les activités non recommandées. Garde l'œil ouvert pour prévenir les chutes, les étouffements et les noyades en cas de baignade.

En effet, les jeunes de cet âge commencent souvent à pratiquer des sports ou des activités physiques, et tu devras porter une attention particulière à leur bien-être et à leur sécurité. Si vous allez à la piscine, ne perd pas l'enfant de vue à aucun moment; quelques secondes d'inattention peuvent s'avérer fatales. Vérifie toujours plusieurs fois avant de traverser la rue et fais-le aux endroits appropriés et réservés à cet effet. Au parc, ne laisse pas le jeune parler à des adultes inconnus ou s'aventurer dans des jeux de grands. Sers-toi de ton jugement et priorise la sécurité avant tout.

4. Scolaire

Bien que les jeunes d'âge scolaire soient indépendants et n'aiment pas être traités en bébés, tu dois quand même assurer leur sécurité. Il se peut qu'ils te demandent de jouer dehors, de faire de la bicyclette, d'aller à la piscine ou de pratiquer un sport ou une activité dans la rue. Tu dois donc être vigilant et prévenir les chutes à vélo, les noyades ou les accidents causés par les automobilistes. Établis les règles avec les parents avant leur départ et assure-toi que l'enfant connaisse les règlements pour éviter qu'il ne s'acharne ou tente de te convaincre. Les jeunes de 8 à 11 ans peuvent être insultés s'ils sentent qu'ils sont traités en bébés, alors essaie d'adopter une attitude amicale quand tu lui expliques les règles. Explique-lui calmement les risques et participe aux activités pour qu'il sente que tu es l'un de siens. Intéresse-toi à ce qu'il aime et prends le temps d'écouter ce qu'il dit. Même s'il veut marchander, ne lui accorde pas de permission qui n'ont pas été accordées par les parents au préalable.

Quelques mesures de sécurité

 • Dépose les objets coupants et tranchants hors de la portée des enfants.

 • Range les médicaments et les produits nocifs hors de la portée des enfants.

 • Range les couteaux en hauteur ou à l'arrière des tiroirs.

 • Surveille les enfants lorsqu'ils jouent dans la rue. Les automobilistes arrivent parfois bien vite.

 • Ne laisse pas de briquet ou d'allumette à la portée des enfants.

 • Au parc, assure-toi que les enfants ne se promènent pas à proximité de verre brisé, de seringues, de déchets ou d'animaux.

 • Assure-toi que les prises de courant soient protégées.

• En cas d'incendie mineur (par exemple sur la cuisinière), étouffe les flammes avec un linge humide, de l'eau, du bicarbonate de soude ou un extincteur. En cas de doute, appelle le 911.

 • En cas d'incendie majeur, priorise les vies humaines en sortant au plus vite de la maison. Ne reviens pas sur tes pas pour chercher des biens matériels. Si tu es à l'étage, ferme les portes situées entre les flammes et toi et sors par la fenêtre la plus près de toi. Appelle à l'aide et signale le 9-1-1 au plus vite. Protège les enfants des flammes en utilisant des couvertures et essaie de les rassurer.

 • En cas d'inondation ou de bris matériel grave dans la maison, contacte les parents au numéro d'urgence pour les aviser.

 • En cas d'urgence, appelle le 9-1-1 et le numéro d'urgence laissé par les parents.

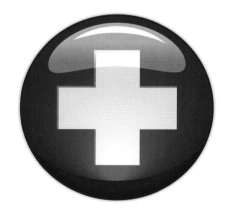

Premiers soins

Urgence

Lorsqu'un enfant tombe gravement malade, se blesse sérieusement ou que tu vis une situation d'urgence, il est extrêmement important que tu contactes les services médicaux d'urgence (SMU) en signalant le numéro local ou le 9-1-1 pour que ces derniers envoient un véhicule (pompier, ambulancier, policier) au domicile où tu te trouves. N'appelle pas le 9-1-1 parce qu'un enfant a la grippe; il faut utiliser ton jugement et identifier les niveaux d'urgence. Si un enfant commence à se sentir mal, tu dois immédiatement contacter le numéro d'urgence laissé par les parents pour les aviser. Quelle que soit la gravité de la situation, ils pourront se rendre sur les lieux le plus rapidement possible. Si l'enfant perd connaissance, éprouve de la difficulté à respirer, perd beaucoup de sang, s'empoisonne, souffre d'une grave allergie, de convulsions, de graves maux de tête, d'une fracture ou subit un accident grave, n'hésite pas à signaler le 9-1-1. Lorsque tu téléphones, tu dois expliquer la situation et fournir des informations précises au téléphoniste pour que les services d'urgence puissent te venir en aide. Par exemple, tu dois connaître l'adresse où tu te trouves ou le lieu exact de l'accident. Si tu as un blanc de mémoire, essaie de fournir des points de repère ou de nommer des rues avoisinantes. Tu dois aussi connaître le numéro de téléphone d'où tu appelles et décrire exactement ce qui est arrivé et l'état de la personne blessée ou malade. N'oublie pas de t'assurer de l'état de la personne malade ou blessée, et essaie de la calmer le plus possible. N'hésite pas à crier à l'aide si tu es dans la rue ou à l'extérieur de la maison.

Secourisme[2]

Sache d'abord qu'il est fortement conseillé aux gardiens et aux gardiennes de suivre un cours de RCR et de secourisme qui sont offerts par la Croix-Rouge canadienne[3] pour intervenir en cas d'urgence et être en mesure de prodiguer les premiers soins.

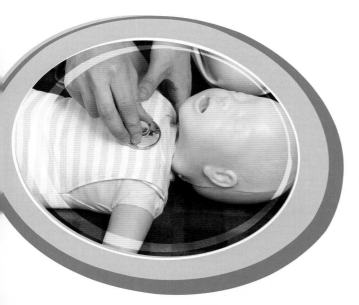

---

2   Source : Manuel Gardiens avertis de la Croix-Rouge canadienne, 2003.

3   Cours de Gardiens avertis : http://www.redcross. ca/article.asp?id=629&tid=021, Cours de secourisme et RCR : http://www.redcross.ca/article. asp?id=000621&tid=021

Étouffement

Pour prévenir les étouffements, assure-toi de bien couper les aliments dans le sens de la longueur et de t'assurer que l'enfant mastique suffisamment avant d'avaler. Évite aussi les activités physiques en mangeant; encourage le jeune à s'asseoir et à prendre son temps pour terminer son assiette. Assure-toi aussi que les jeunes enfants ne portent pas de petits objets ou de petites pièces dans leur bouche, et suis les directives des parents concernant l'alimentation de leurs enfants à la lettre. Par exemple, ne donne pas de nourriture solide à un nouveau-né, ni d'aliments contenant du chocolat, des noix et des œufs. Enfin, garde tous les objets susceptibles de représenter un danger hors de la portée des enfants. Si un enfant s'étouffe, vérifie s'il parvient à respirer et s'il peut tousser. Ne le tape pas sur le ventre ou dans le

dos et ne panique pas. S'il a de la difficulté à respirer et que son visage devient bleuté, appelle tout de suite le 9-1-1 et porte-toi à son secours.

Dans le cas d'un bébé, allonge-le sur le ventre en maintenant sa tête vers le bas et en appuyant son corps sur ton bras. Soutiens-lui la tête et tiens bien sa mâchoire. Utilise la paume de ta main pour lui donner 5 tapes dans le dos entre les deux omoplates. Si la situation ne s'améliore pas, retourne le bébé sur le dos en le positionnant sur tes cuisses et en soutenant sa tête avec ta main tout en la maintenant plus bas que le reste de son corps. Tu dois ensuite visualiser une ligne imaginaire reliant les deux mamelons de l'enfant et appuyer avec deux doigts au centre de son sternum, équivalant à la largeur d'un doigt le long de cette ligne[4], puis pousser environ cinq fois vers le bas en enfonçant tes deux doigts légèrement dans son thorax. Retourne-le ensuite délicatement pour lui donner cinq autres tapes dans le dos entre ses omoplates. Continue en alternant d'un côté à l'autre jusqu'à ce qu'il recrache l'aliment ou l'objet avec lequel il s'est étouffé. Il se mettra alors certainement à pleurer ou à tousser violemment. Rassure le bébé et prends-le dans tes bras.

Dans le cas d'un jeune enfant, invite-le à se pencher vers l'avant et à tousser pour expulser l'objet ou l'aliment sans lui tapoter le dos. Si rien ne fonctionne et qu'il devient bleu, positionne-toi derrière l'enfant et place tes bras tout autour de sa taille avant de former un poing avec l'une de tes mains. Place ce poing au-dessus du nombril du bambin en gardant ton pouce sur son ventre et en déposant ton autre main à plat sur le poing. Tu dois ensuite enfoncer ton poing dans le ventre de l'enfant à l'aide de la paume de ta main en appui tout en exerçant une pression vers le haut. Continue ainsi jusqu'à ce qu'il expulse l'aliment ou l'objet avec lequel il s'est étouffé.

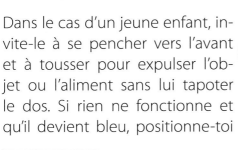

---

4   Manuel de Gardiens avertis, p.87.

Respiration artificielle

Si un bébé ou un enfant cesse de respirer, tu dois tout de suite songer aux points ABC du secourisme, soit A- les voies respiratoires, B- la respiration et C- la circulation. [5] Ainsi, soulève le menton de l'enfant et penche sa tête vers l'arrière pour t'assurer que les voies respiratoires sont bien ouvertes. S'il ne respire pas, tu dois pratiquer la respiration artificielle tout en étant à l'affût d'une hémorragie liée directement à sa circulation sanguine.

Dans le cas d'un bébé, tu dois le mettre sur le dos sur une surface bien dure, puis déposer une main sur son front et une autre en dessous de son menton avant de pencher légèrement sa tête vers l'arrière. Vérifie s'il respire bien (point A) et prends son pouls (point B) pendant au moins 10 à 15 secondes.

S'il respire, tourne-le sur le côté en positionnant sa jambe et son bras du dessus sur le sol et continue de vérifier sa respiration jusqu'à l'arrivée des secours. S'il ne respire pas, garde la tête de l'enfant légèrement penchée vers l'arrière, puis ouvre grand la bouche et pose-la sur sa bouche et son nez avant de lui souffler de petites bouffées d'air sans bloquer ses voies. Vérifie ensuite si le bébé respire.[6]

---

5   RCR, Croix-Rouge canadienne

6   Source : Manuel Gardiens avertis de la Croix-Rouge canadienne.

Dans le cas d'un enfant, tiens sa tête et son cou avec l'une de tes mains et tourne-le soigneusement sur le dos avant de vérifier sa respiration. S'il respire, tourne-le sur le côté en positionnant sa jambe et son bras du dessus sur le sol et continue de vérifier sa respiration jusqu'à l'arrivée des secours. S'il ne respire pas, garde la tête de l'enfant légèrement penchée vers l'arrière, puis ouvre grand la bouche et pose-la fermement autour de la sienne avant de lui souffler deux petites bouffées d'air sans bloquer ses voies. Vérifie ensuite si le bébé respire.

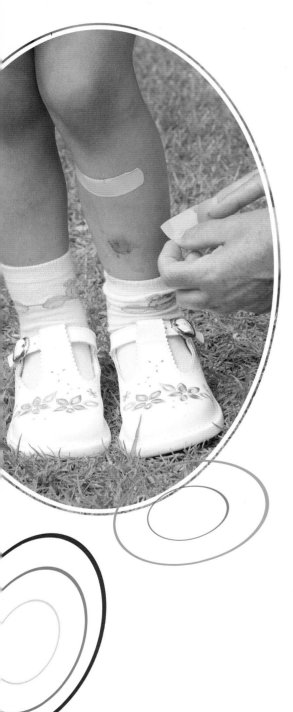

Coupures et saignements

Si un enfant se coupe gravement, utilise un tissu propre et exerce une pression directe sur la plaie pour arrêter les saignements. Tu peux encourager l'enfant à se reposer pour éviter les étourdissements. Si l'enfant saigne sans arrêt ou que la plaie est extrêmement profonde, n'hésite pas à appeler le 9-1-1. Tu peux poser un bandage pour que le tissu tienne en place et pour faire cesser l'hémorragie jusqu'à l'arrivée des secours. N'oublie pas de te laver les mains. Si la blessure est légère, lave l'égratignure avec de l'eau et désinfecte la plaie avec une compresse de gaze ou un désinfectant avant de la protéger avec un diachylon ou un pansement.

Si la plaie est infectée et que des saletés s'y sont réfugiées, il est important de bien nettoyer la blessure et de demander de l'aide. Utilise la trousse de secours (pinces à épiler, pansements, désinfectant) pour ce faire. Si le jeune fait une chute et qu'il se sent étourdi, qu'il a des vomissements, qu'il perd connaissance et/ou qu'il a de la difficulté à rester éveillé, appelle immédiatement à l'aide puisqu'il peut s'agir d'une hémorragie interne ou d'un traumatisme crânien. Si le jeune saigne du nez, va chercher un tissu ou un mouchoir, invite-le à se pencher vers l'avant et pince-lui les narines à l'aide du mouchoir pendant une bonne dizaine de minutes jusqu'à ce que les saignements cessent.

Foulures, entorses et fractures

Si l'enfant fait une chute et/ou subit un accident et qu'il a de la difficulté à bouger, à respirer ou qu'il est blessé à la tête ou au cou, appelle immédiatement le 9-1-1 et tente de le réconforter en attendant l'arrivée des secours. Évite de déplacer l'enfant si ce n'est pas nécessaire. Essaie plutôt de le calmer et de lui changer les idées.

En ce qui a trait aux blessures plus légères, applique ces quatre règles essentielles pour calmer la douleur[7] :

R comme dans repos : Installe confortablement le jeune.

I comme dans immobilisation : Immobilise le membre qui lui fait mal (le pied, le bras, le genou, le doigt, etc.)

G comme dans glace : Dépose de la glace sur sa blessure puisqu'elle diminue les enflures et apaise la douleur.

E comme dans élévation : Surélève le membre blessé pour diminuer les risques d'enflure.

---

7   Source : Manuel Gardiens avertis, p.96.

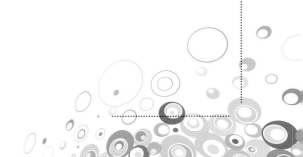

Autres

En cas d'empoisonnement, d'intoxication ou d'allergie alimentaire, appelle le 9-1-1 et le centre d'antipoison régional, assure-toi que l'enfant respire et ouvre la fenêtre pour lui procurer de l'air frais. Essaie de réconforter l'enfant en attendant l'arrivée des secours.

En cas de brûlures légères, rince la région atteinte à l'eau très froide pendant plusieurs minutes et protège-la avec un pansement. Dans les cas de brûlures graves causées par la chaleur ou l'électricité, protège la brûlure avec un pansement et appelle le 9-1-1.

Si l'enfant souffre de diabète, d'asthme, d'épilepsie, de crises d'angoisse ou de toutes autres maladies, demande aux parents de te fournir toutes les informations, numéros d'urgence et médicaments nécessaires en cas de crise et de t'indiquer exactement les directives à suivre. Dans le doute, appelle à l'aide. Souviens-toi aussi de contacter les parents en cas d'urgence. Les situations d'urgence se produisent souvent très rapidement, et tu dois faire preuve de jugement lorsque tu interviens; si la vie de l'enfant est en danger, priorise le 9-1-1. Dans tous les cas, demande aux parents où se trouve la trousse de secours dans la maison. Tu peux également trimballer ton propre matériel pour t'assurer d'être prêt si une situation grave survient. Assure-toi tout au moins d'avoir des pansements, des bandages, un thermomètre, du désinfectant et de la glace en ta possession. Les épingles de sûreté, pinces à épiler et gazes peuvent également s'avérer très utiles.

Chapitre 4 :
Notes personnelles

Chapitre 4 :
Notes personnelles

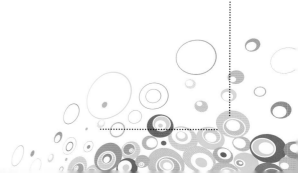

Chapitre 5 :
Gestion du dodo

Chapitre 5 :
Gestion du dodo

La gestion du dodo peut parfois s'avérer éprouvante pour un gardien, car les enfants peuvent le mettre à l'épreuve ou tout simplement refuser d'aller dormir. La règle générale est de réconforter les enfants et d'opter pour des activités relaxantes avant de dormir pour les encourager à fermer l'œil.

Les bébés consacrent une grande partie de leur temps à dormir, mais chacun possède ses habitudes différentes, et il est important que tu t'informes auprès des parents au préalable pour savoir à quoi t'en tenir. Par exemple, demande-leur la quantité de lait que le bébé doit boire, l'heure du biberon, l'heure du dodo, etc. Informe-toi également à savoir si le bébé possède un objet fétiche qu'il garde auprès de lui pour se réconforter, comme un ourson ou une doudou, et s'il préfère dormir avec de la musique douce, une veilleuse, etc. Lorsqu'un bébé est

fatigué, il le manifeste généralement en bâillant, en se frottant
les yeux, en suçant son pouce
ou ses doigts et en chignant. Les
bébés deviennent souvent gro-
gnons et pleurent lorsqu'ils ont
envie de dormir, car ils n'ont pas
d'autres façons de manifester
leurs besoins. Réconforte le bébé
en le prenant dans tes bras et en
lui parlant d'une voix douce et
apaisante. Couche-le doucement
sur le dos, allume la veilleuse ou
le mobile musical si telles sont les
directives et ferme doucement la
porte derrière toi. Efforce-toi ensuite de ne pas faire trop de bruit
pour ne pas le réveiller (baisse le
son de la télévision, ne parle pas
trop fort au téléphone, etc.). Si
le bébé se remet à pleurer, va le
voir pour le réconforter. S'il n'ar-
rive vraiment pas à fermer l'œil, tu
peux le prendre dans tes bras et le
bercer doucement jusqu'à ce qu'il
se rendorme. Essaie également de
vérifier son état de temps à autre
pour
t'as-
surer qu'il
dort et que
tout se passe bien,
et n'oublie pas de bien
sécuriser son lit et d'enlever tout
objet à sa portée pouvant représenter un danger pour lui.

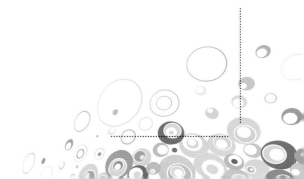

Les jeunes enfants sont très actifs durant le jour et dépensent énormément d'énergie, alors il est extrêmement important qu'ils dorment suffisamment. Demande aux parents qu'elles sont les habitudes du petit avant qu'ils partent. Est-ce que tu dois lui donner un bain avant de dormir ? Aime-t-il prendre une collation ? À quelle heure dois-tu le coucher ? Si le petit ne veut pas se mettre au lit, propose-lui de lui raconter une histoire ou d'écouter un petit film quelques minutes avant de se mettre au lit pour le calmer et pour qu'il se prépare à s'endormir. Couche-le en adoptant une voix douce et tranquille pour le rassurer et explique-lui que ses parents seront là quand il se réveillera si tu le sens agité. Tu peux toujours le bercer doucement pour le réconforter s'il refuse de dormir ou s'il se met à pleurer.

Les enfants d'âge préscolaire et scolaire connaissent généralement les règles du dodo, mais il se peut qu'ils tentent de marchander avec toi pour obtenir quelques minutes de plus.

Demande aux parents de te donner les directives du coucher, et assure-toi que l'enfant sache que ces directives t'ont été ordonnées par ses parents. Avant de dormir, opte pour des activités de détente pour calmer l'enfant comme un film, un livre, un conte, etc.

Si un enfant mouille son lit, ne le chicane pas; change les draps et ses vêtements, rassure-le et dis-lui que ce n'est rien. Sinon, il risque de se sentir coupable, d'en faire tout un plat et de se sentir perturbé. Si l'enfant que tu gardes se réveille en pleurant car il cherche ses parents ou parce qu'il a fait un cauchemar, console-le et rassure-le d'une voix douce et calme pendant quelques instants jusqu'à ce qu'il se rendorme. Dans tous les cas, n'oublie pas de faire un rapport honnête et détaillé aux parents lorsqu'ils reviennent à la maison.

Chapitre 5 :
Notes personnelles

Chapitre 5 :
Notes personnelles

Chapitre 6 :
Psychologie de l'enfant

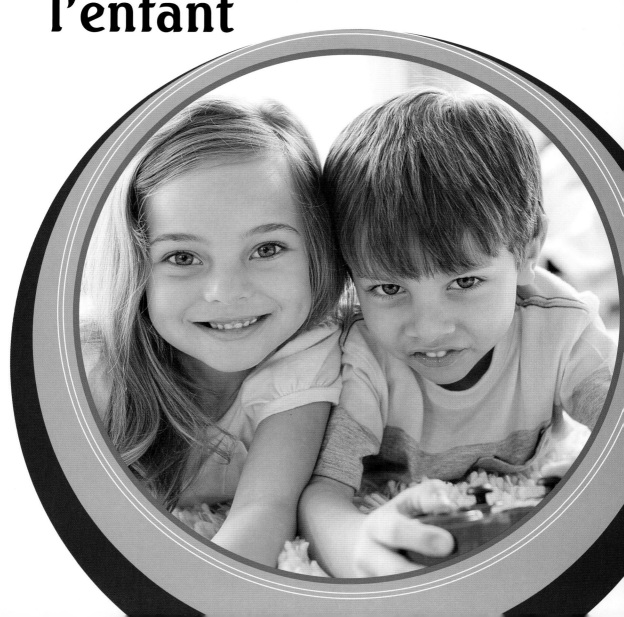

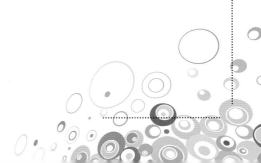

Chapítre 6 :
Psychologie de l'enfant

Quand tu gardes un enfant, tu dois te souvenir que tu es responsable de lui, mais que dans sa tête, tu es un gardien provisoire, ce qui peut faire en sorte qu'il veuille te mettre à l'épreuve. Certains enfants vivront leur insécurité en exprimant clairement leur inconfort (je m'ennuie de papa, je m'ennuie de maman), tandis que d'autres le manifesteront par les crises de colère ou de larmes, la bouderie ou même la violence physique ou verbale. Quand un enfant pique une crise de colère, tu ne peux pas le forcer à se tranquilliser et à se rationaliser. Le mieux à faire est de le laisser tranquille quelques instants le temps qu'il se calme, puis de le consoler en lui parlant doucement, en le berçant et en lui proposant de faire une autre activité. Même si une situation te paraît ridicule et hors de contrôle, n'oublie pas que tu as affaire à un jeune enfant qui ne sait pas encore très bien comment maîtri-ser et exprimer ses émotions. Tu dois toujours t'efforcer de garder ton calme. Ne brutalise jamais un enfant, ne secoue jamais un bébé et n'utilise pas de langage grossier en t'adressant à lui. Non seulement c'est inapproprié, mais tu risques de traumatiser l'enfant plutôt que de lui faire comprendre calmement pourquoi sa réaction est exagérée et en quoi il vaut mieux toujours mieux exprimer ses émotions.

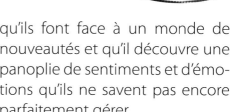

Il se peut aussi que les bébés souffrent de coliques, c'est-à-dire qu'ils se mettent à pleurer incessamment sans pouvoir s'arrêter. On ne connaît précisément la cause des coliques des petits bébés; l'important, c'est de ne pas te culpabiliser et de garder ton calme. Essaie de réconforter le poupon en le prenant dans tes bras, en le berçant doucement, en le nourrissant, en lui chantant une berceuse ou en lui frottant doucement le dos ou le ventre jusqu'à ce qu'il s'endorme.

Les jeunes enfants apprennent quant à eux à exprimer leurs opinions, à dire « non » sans cesse et à poser toutes sortes de questions pour mieux comprendre le monde qui les entoure. Le mieux est de leur accorder de l'attention et de te montrer intéressé à ce qu'ils disent et à ce qu'ils cherchent à comprendre. Ne sois pas impatient avec eux; souviens-toi

qu'ils font face à un monde de nouveautés et qu'il découvre une panoplie de sentiments et d'émotions qu'ils ne savent pas encore parfaitement gérer.

En grandissant, les enfants deviennent de plus en plus indépendants et préfèrent parfois jouer seuls. Tu dois également respecter les préférences de chacun; ne le prends pas personnel si une petite fille de 8 ans a envie de colorier toute seule dans sa chambre; offre-lui de l'aider, et si elle ne veut pas, dis-lui qu'elle n'a qu'à t'aviser lorsqu'elle aura envie de jouer avec toi ou de changer d'activité.

De façon générale, les jeunes adorent les surprises et les jeux originaux. Ils aiment également qu'on stimule leur imagination et qu'on les fasse rire; tu peux donc proposer des jeux de rôles ou des activités artistiques en les encourageant et en les félicitant de leurs exploits. Lorsque tu lis une histoire, efforce-toi d'adopter plusieurs tons de voix en changeant de personnages, car les enfants adorent les histoires mouvementées et les créations de tout genre. Ne sois pas gênée de laisser aller ton imagination et d'entrer dans le jeu. Intéresse-toi à ce qu'ils disent et à ce qu'ils aiment faire, et essaie de trouver un équilibre entre ton rôle autoritaire et ta relation amicale que tu entretiens avec eux. Si tu obtiens le respect des jeunes, la tâche t'apparaîtra beaucoup plus facile. Tu dois écouter l'enfant et te fier à ton jugement lorsque tu assumes un rôle de gardien. Bien que ce guide t'aide à comprendre les grandes lignes, il s'agit tout de même d'un lien personnel et intime que tu tisses avec un jeune, et tu dois être sensible à ce qu'il te dit et à ce qu'il ressent.

Quoi qu'il en soit, assure-toi d'avoir confiance en toi et de transmettre cette assurance aux enfants que tu gardes pour qu'ils se sentent en sécurité. Amuse-toi avec eux, entre dans le jeu et respecte leurs choix et leurs émotions. Plus tu passeras de temps avec eux, plus ton cœur d'enfant reviendra au galop et plus tu savoureras les moments de plaisir et de détente passés en leur présence.

Chapitre 6 :
Notes personnelles

Chapitre 6 :
Notes personnelles

Vrai ou faux

Vrai ou faux

1. Un bon gardien doit faire preuve de jugement, de leadership et d'agressivité. **F**

2. Tu représentes un modèle aux yeux des enfants. **V**

3. Il peut être profitable de rencontrer les parents qui t'embauchent et les enfants que tu garderas au préalable. **V**

4. Les parents ne veulent pas obtenir ton curriculum vitae. **F**

5. Il est préférable de suivre un cours de RCR et de secourisme offert par la Croix-Rouge canadienne ou un autre organisme reconnu. **V**

6. Informe-toi auprès des parents pour obtenir toutes les informations nécessaires avant leur départ. **V**

7. Tu peux inviter un copain sans demander l'avis des parents. **F**

8. Tu peux laisser les enfants jouer seuls pendant que tu fais tes devoirs. **F**

9. Sois ponctuel. **V**

10. Les goûts des enfants varient selon le sexe et l'âge. **V**

11. Les jeunes enfants ont beaucoup d'imagination et aiment généralement les jeux de rôles. **V**

12. Tu peux installer un enfant devant la télé pendant des heures pour le calmer. **F**

13. C'est une bonne idée de donner une collation sucrée à un enfant avant de se mettre au lit. **F**

14. Mieux vaut couper les aliments dans le sens de la longueur pour éviter les étouffements. **V**

15. Tu dois vérifier la température des aliments avant de les servir aux enfants. **V**

16. La température d'un biberon doit être chaude. **F**

17. Si tu cherches une collation à offrir, les biscottes avec du fromage, les yogourts et les croustilles sont toujours de bonnes options. **F**

18. Lorsque tu changes une couche, il faut essuyer de l'avant vers l'arrière pour éviter les infections. **V**

19. Même si un enfant est capable de faire ses besoins tout seul, mieux vaut l'aider à s'essuyer et à se laver les mains après coup. **V**

20. Tu peux laisser un enfant manipuler un couteau si tu le supervises. **F**

21. Les animaux domestiques peuvent représenter un danger pour les enfants. **V**

22. Les jeunes enfants âgés de moins de 4 ans sont de véritable casse-cou et ne sont pas toujours conscients des dangers qui les guettent. **V**

23. Tu dois t'assurer que les prises électriques ne soient pas protégées. **F**

24. En cas d'étouffement, tu dois taper un enfant dans le dos. **F**

25. Les points ABC du secourisme représentent les voies respiratoires, la respiration et la circulation. **V**

26. En cas de brûlure légère, mieux vaut rincer la région brûlée à l'eau chaude. **F**

27. Selon la Croix-Rouge, en cas de fracture ou de foulure, il est conseillé d'appliquer les quatre règles RUGE pour calmer la douleur. **F**

28. N'hésite pas à faire courir un enfant avant de dormir pour l'épuiser. **F**

29. Tu peux secouer un enfant s'il ne veut rien entendre. **F**

30. Les jeunes d'âge scolaire n'aiment généralement pas se faire traiter comme des bébés. **V**

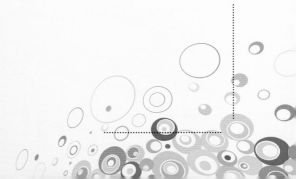

Numéros d'urgence

Numéros d'urgence

URGENCE : 9-1-1

INFO-SANTÉ : 8-1-1

CENTRE ANTI-POISON : 1-800-463-5060

L'auteure remercie
la Croix-Rouge canadienne
pour les précieuses informations.

http://gardiensavertis.ca

Numéros importants

Numéros importants

Fiche de gardiennage

Fiche de gardiennage

NOM DES PARENTS :

....

....

ADRESSE :

....

....

....

NOM DES ENFANTS :

1...âge..................

2...âge..................

3...âge..................

4...âge..................

NUMÉROS DE TÉLÉPHONE :

Résidence :...

Cellulaire :...

NUMÉROS EN CAS D'URGENCE :

....

....

Allergies

Nom de l'enfant	Allergie

Instructions spéciales :

Fiche de gardiennage

NOM DES PARENTS :

....

....

ADRESSE :

....

....

....

NOM DES ENFANTS :

1..âge..................

2..âge..................

3..âge..................

4..âge..................

NUMÉROS DE TÉLÉPHONE :

Résidence :...

Cellulaire:...

NUMÉROS EN CAS D'URGENCE :

....

....

Allergies

Nom de l'enfant	Allergie

Instructions spéciales :

Fiche de gardiennage

NOM DES PARENTS :

....

....

ADRESSE :

....

....

....

NOM DES ENFANTS :

1...âge.....................

2...âge.....................

3...âge.....................

4...âge.....................

NUMÉROS DE TÉLÉPHONE :

Résidence :...

Cellulaire:..

NUMÉROS EN CAS D'URGENCE :

....

....

Allergies

Nom de l'enfant	Allergie

Instructions spéciales :

Fiche de gardiennage

NOM DES PARENTS :

....

....

ADRESSE :

....

....

....

NOM DES ENFANTS :

1..âge.....................

2..âge.....................

3..âge.....................

4..âge.....................

NUMÉROS DE TÉLÉPHONE :

Résidence :...

Cellulaire:...

NUMÉROS EN CAS D'URGENCE :

....

....

Allergies

Nom de l'enfant	Allergie

Instructions spéciales :

NOM DES PARENTS :

....

....

ADRESSE :

....

....

....

NOM DES ENFANTS :

1...âge...................

2...âge...................

3...âge...................

4...âge...................

NUMÉROS DE TÉLÉPHONE :

Résidence :...

Cellulaire:...

NUMÉROS EN CAS D'URGENCE :

....

....

Allergies

Nom de l'enfant	Allergie

Instructions spéciales :

Fiche de gardiennage

NOM DES PARENTS :

....

....

ADRESSE :

....

....

....

NOM DES ENFANTS :

1..âge......................

2..âge......................

3..âge......................

4..âge......................

NUMÉROS DE TÉLÉPHONE :

Résidence :...

Cellulaire:...

NUMÉROS EN CAS D'URGENCE :

....

....

Allergies

Nom de l'enfant	Allergie

Instructions spéciales :

Fiche de gardiennage

NOM DES PARENTS :

....

....

ADRESSE :

....

....

....

NOM DES ENFANTS :

1..âge.........................

2..âge.........................

3..âge.........................

4..âge.........................

NUMÉROS DE TÉLÉPHONE :

Résidence :...

Cellulaire:...

NUMÉROS EN CAS D'URGENCE :

....

....

Allergies

Nom de l'enfant	Allergie

Instructions spéciales :

Fiche de gardiennage

NOM DES PARENTS :

....

....

ADRESSE :

....

....

....

NOM DES ENFANTS :

1..âge.....................

2..âge.....................

3..âge.....................

4..âge.....................

NUMÉROS DE TÉLÉPHONE :

Résidence :...

Cellulaire:...

NUMÉROS EN CAS D'URGENCE :

....

....

Allergies

Nom de l'enfant	Allergie

Instructions spéciales :

Fiche de gardiennage

NOM DES PARENTS :

....

....

ADRESSE :

....

....

....

NOM DES ENFANTS :

1...âge..................

2...âge..................

3...âge..................

4...âge..................

NUMÉROS DE TÉLÉPHONE :

Résidence :...

Cellulaire:...

NUMÉROS EN CAS D'URGENCE :

....

....

Allergies

Nom de l'enfant	Allergie

Instructions spéciales :

Fiche de gardiennage

NOM DES PARENTS :

....

....

ADRESSE :

....

....

....

NOM DES ENFANTS :

1..âge..................

2..âge..................

3..âge..................

4..âge..................

NUMÉROS DE TÉLÉPHONE :

Résidence :..

Cellulaire:..

NUMÉROS EN CAS D'URGENCE :

....

....

Allergies

Nom de l'enfant	Allergie

Instructions spéciales :